사막에서 마음 찾기

사막에서 마음 찾기

발 행 | 2024 년 1 월 23 일

저 자 | 전누리

펴낸이 | 한건희

펴낸곳 | 주식회사 부크크

출판사등록 | 2014.07.15. (제 2014-16 호)

주 소 | 서울특별시 금천구 가산디지털 1 로 119 SK 트윈타워 A 동 305 호

전 화 | 1670-8316

이메일 | info@bookk.co.kr

ISBN | 979-11-410-6823-3

http://www.bookk.co.kr/

본 책은 성균관대학교 대학혁신과공유센터 S-Global Challenger 프로그램의 다시만난세계팀으로서 지원 받아 작성되었습니다.

사막에서 마음 찾기

전누리 (다시만난세계) 지음

영원한 이별의 재회를 꿈꾸는 이들에게,

이 글을 바칩니다.

00 들어가는 말

이 책은 영원한 이별을 맞이한 사람들을 이야기하고 싶다. 서로 영영 만날 수 없음을 직시했음에도 재회를 꿈꾸는 사람들은 평범하다. 누구나 소중한 사람을 잃는 것은 익숙해질 수 없는 일이다. 그러한 상실이 안타까운 참사로 인한 것이며, 나의 사람이 죽은 원인이 사회적 이슈로 떠오르고, 나의 이별을 슬퍼하는 것조차 어지러워지는 상황이라면, 당신은 어떻겠는가?

2014년 세월호 참사부터 2022년 이태원 참사까지. 별반 달라진 게 없는 제3자들의 태도와 시선을 읽고, 2023년 성균관대학교 학생 5명은 모였다. 그들은 대한민국 추모 방식 변화, 그리고 나아가 추모 공간의 설계를 꿈꾸며 성균 글로벌 창조적 챌린저 10기에 도전한다. 그리고 팀원 중 전누리, 필자는 그 과정에 있었던 고민들을 생생하게 다듬어 이렇게 글로 내보내고 있다.

이 책은 무언가를 전문적으로 전달하기 보다는 상대적으로 무언(無言)하여 독자와 소통하고 싶어 한다. 예민할 수 있는 주제를 다루지만, 그 속에는 솔직하게 팀의 생각을 담아냈다. 참사와 추모, 죽은 자와 남겨진 이, 그리고 바라보는 이. 이 모두를 좋은 지점에서 만날 수 있게 할 방도를 연구하면서 만난 마음들을 함께 찾아보자.

01

사막에서 마음 찾기

아침이 밝았다. 우리 집 창문을 열어 환기하는 김에 반대편 창문을 본다. 그 쪽 사람도 창문을 열고 담배를 피운다. 회색 건물에서 피어 오르는 뿌연 연기. 눈살을 찌푸리며 스마트폰-네모난 세상의 돋보기를 켜 오늘도 돌아가는 하루들을 확인한다. 요즘 보고 듣는 소식들은 기이하고 황당하다. 21세기에 말도 안 되는 인재(人災)들이 가득한 세상은 화면으로 보기만 해도 메마른 사막처럼 더없이 가슴이 뻑뻑해진다.

그냥 줍는 것이다.

길거리나 사람들 사이에

버려진 채 빛나는

마음의 보석들

- 시, 나태주

나태주 시인의 <시>는 특히, 세상이 말라 보일 때마다 떠오른다. 마음의 보석들을 그냥 줍는다니. 마음의 한 조각을 보석으로 칭하는 것부터 그 보석을 줍는 일은 사막 모래밭 한가운데에서 진주 찾기와 같은 확률 아닌가. 한편, 그럼에도 찾을 수 있기에 한마음으로 행해지는 일들이 있는 거겠지.

세상에 흩어진 마음이 따뜻함을 넘어 뜨거울 정도로 한꺼번에 몰려와 발견되는 때가 있다. 사실, 그런 경우들은 배경상황이 좋지 못한 것이 대부분이다. 과거 중에 대표적인 예를 들면, 대통령 탄핵(정치적으로 문제가 생겼을 때 국민들이 발 벗고 나서서 합심하여 해결함)이 있겠다.

본격적으로 다룰 이야기로는 '추모'가 이에 해당한다. 추모의 사전적 정의는 '죽은 사람을 그리며 생각함.'이다. 사적인 추모는 죽음 이후 자연스레 일어나는 일이지만, 사회적 추모는 비극적인 죽음이 일어나고서야 마음들이 모여 힘을 발휘하는 것이 그야말로 사막에서 마음 찾기와 같은 아이러니한 일이다.

가느다란 연민을 손에 꼭 쥐고,

누군가를 '연민하기'는 쉽다. 연민은 추모와 동시에 쉽게 발생하는 감정 중 하나이기도 하다. 2014년 4월, 손녀가 세탁기 속에 갇혀서 살려달라는 꿈을 꾼 할머니의 이야기가 뉴스에 흐르던 것을 아직도 생생히 기억한다. 실종, 생존. 이 시대에 어울리지 않는 단어들과 숫자들로 어지럽게 속삭이는 뉴스들에, 초등학생은 눈을 깜빡이며 얇게나마 슬픔과 불쌍함을 느꼈다.

2022년 10월, 지금 똑바로 서 있는 동네 하나를 건너고 일어난 참사. 삽시간에 쓰러지는 사람들의 모습이 SNS에 무분별하게 퍼져나가던 것이 눈앞에 선명하다. 또래 청년들이 한 순간에 세상을 떠남에 큰 충격과 소름을 느꼈다. 이를 포함해 어렸던 연민은 아직까지도 마음에 굵직하게 남아있다.

우연한 비극은 보다 먼 타인에게까지 연민을 일으킨다. 사회면에 자연재해, 안전에 의한 참사, 모종의 사유로 인한 누군가의 자살이 올랐을 때, 많은 이들의 그것들을 안타까워하고 추모의 마음을 전한다. 불행히도, 그러한 연민은 가까운 이에 대한 추모에서 일어나는 연민보다 그리 깊거나 오래가지 않는다. 연민의 마음조차 없는 세상을 상상해본 적이 있나? 연민이 없었다면, 각계각층에서 일어나는 부조리를 극복하기도 없다. 연민이 없었다면, 어느 날 재난으로 모든 걸 잃은 사람들이 다시 기운 내 삶을 살고 기존 사회의 구성원으로서 역할을 다하는 것도 없다.

다행히도, 메말라 가는 세상 속에서도 우리는 가느다란 연민을 손에 꼭 쥐고 있기 때문에, 추모를 하고 다시 그러한 비극이 일어나지 않게끔 노력한다. 나의 일이 아니더라도, 일어나서 세상을 두드릴 수 있는 것은 그렇게 가끔 힘을 내는 연민을 손에 꼭 쥐고 있기 때문이다.

우리는 또 다시, 가느다란 연민을 손에 꼭 쥐고 더 나은 세상을 위해 나아간다. 붙잡고 있는 연민과 함께 뒤를 돌아볼 수 있기에.

무관심한 이야기에 마음이 머물 때

'회복은 망각이 아니라 간직이다.' 본 팀의 도전계획서 속 한 줄이다. 가까운 가족을 떠나 보냈을 때, 더도 없는 공황 상태에 빠졌다. 한동안 공황이 지속되다가, 괜찮아질 때쯤에 그 이유를 생각해보았다. '이제 그 죽음을 잊어버려서'가 아니라, '그 사람을 마음 속에 간직할 수 있게 되어서'라는 이유가 컸다. 처음에는 지극히 필자 중심적인 생각이었으나 보편성을 재고했을 때에도 타당한 말이었다. 어떤 참사가 일어났을 때, '유가족 협회'라는 이름의 유가족 모임이 만들어지는 이유이기도 하다.

비극이라 불리는 사회적 사건들 또한 망각하지 않고 간직할 때, 진정으로 그 상처를 회복할 수 있다. 모두가 똑같은 크기의 연민과 사랑으로 간직할 수 있게 하겠다는 목표는 허황된 꿈이자 비약이다. 사람들은 나의 일이 아니면 관심을 지속할 수 없는 게 본능이기 때문이다. 그래서 죽음으로 끝난 사회적 사건들을 간직하고 그 부분을 변화시키기 위해서는 더욱이 유가족들의 마음을 헤아리는 것이 중요하다. 그 마음을 잘 새겨 변화를 도모하는 것이 남은 사람들이 해야 할 일이므로.

본교 출신 KBS 모 기자님께서 인터뷰 멘토링 때 해주신 말씀 중, 한 이야기가 내 마음을 세게 내리쳤다.

"이태원 참사 사고 당시 수많은 기자들은 사람들이 이송된 병원으로 찾아갔습니다. 여러분이 생각하듯, 기자는 '한 말씀만 해주세요. 지금 무슨 일이 일어난 겁니까? 지금 심정이 어떠십니까?' 하고 묻는 게 보통 일이죠.

그 날 그 시간에도 그저 일을 행하기 위해, 기자 여럿이 응급실에서 한 중년 남성이 터덜터덜 나오던 길을 곧장 쫓아가 다를 바 없는 질문을 했었습니다. 그러나 중년 남성은 대답을 전혀 하지 않았는데요. 사실, 그 남성은 응급실에서 딸의 사망 선고를 듣고 나오는 길이었습니다. 아침 출근길에 인사하고 나간 딸과 생이별을 하게 된, 하루아침에 가족에서 유족이 된 그의 심정을 어찌 한 줄의 인터뷰로 나타낼 수 있었을까요.

모든 기자들이 답변을 얻지 못해 나갔을 때 끝까지 멀찍이서 지켜보던 한 기자는 그 남성의 곁으로 다가가 한 마디 없이 안아드렸습니다. 두 사람은 한동안 서로 울기만 했습니다. 인터뷰 대상이 아니라 딸을 잃은 아버지의 마음을 유일하게 헤아려준 기자에게, 유족 분께서는 단독 인터뷰를 원하셨고 모든 걸 털어주셨습니다.

여러분이 인터뷰를 나갈 때엔 '마음'이 가장 중요합니다. 유족 인터뷰는 섭외부터 매우 어려울 것입니다. 그럼에도 그들의 이야기는 사회를 향한 마땅한 두드림으로 헛되지 않은 보답이 있을 것임을 마음으로 어필하세요."

 마음으로 어필하여 마음을 듣다... 사랑하는 이의 죽음을 경험한 자에게, 크게 상실한 자에게 어떠한 공익과 명분보다도 힘이 작용할 만한 이야기였다. 사회적 변화, 간직을 목적으로 이야기를 들음이 아니라 마음을 듣고 사회적 변화와 간직을 이루는 순서를 까먹을 뻔했다. 크게 관심을 가지지 않았던 유가족 이야기를 듣기 위해서 무척 중요한 사안이었다. 남아있는 사람들의 마음을 가늠하기엔 우리의 마음이 턱없이 부족할 수 있었으니까 말이다.

 결국 모두의 눈 앞에 죽음이 놓여있다. 생각을 권유하고 싶은 지점이 바로 여기다. 죽음을 보다 안타까운 연유로 마주한 이들 곁에 남아있는 자들, 그들의 이야기에 마음이 머무는 경험을 해보자. 이토록 마른 세상이 더 말라가지 않도록.

02

기억의 지우개

'기억해야지! '

뭐든 잘 까먹는 나는 기억이라는 행위를 위해 언제나 의식적으로 노력한다. 주로 해야 할 일과 하고 싶은 일, 하고 나서 좋았던 일들은 기억하고 싶은 것들이다.

'아, 지우고 싶다.'

그럼에도 기억하고 싶지 않은 일들이 있다. 주로 이미 한 일들 중에서 기분이 딱히 좋지 않았던 일들은 지워버리고만 싶다.

'어떤 일이었지? '

그리고 나의 의식과 다르게, 깊은 곳으로 잊혀가는 일들이 있지. 굳이 기억할 필요 없는 일이나 너무 먼 일들은 나도 모르는 새 잊게 된다.

기억은 그릇에 따라 형태가 달리 되는 물과 같다. 나는 이걸 기억하고 싶더라도 저 친구에겐 지우고 싶은 기억이 될 수 있다는 뜻이다. 전적으로 '기억하고 싶은 일'에 속하는 것의 예시는 누군가의 탄생이 있겠다. 우리가 해마다 친한 이들의 생일을 축하하고, 나의 생일을 기념하는 이유이다. 그렇다면 누군가의 소멸은? (일련의 생을 마감함 보다 하나의 생이 무섭게 사라짐을 나타내고자 죽음이 아닌 '소멸'이라 표현했다.)

필자라면, 나와 관련된 인간의 소멸은 기억하고자 하는 편이다. 삶에 치여 잊혀가는 기억을 붙잡으려 노력할 것이다. 나와 관련이 없는 인간의 소멸에는 인류애적인 마음으로 기억하고자 하겠지만, 곧 잊힐 것이다. 우리의 기억은 어쩔 수 없이 마음의 거리에 따른 동심원의 형태로 남게 되니까. 사회적인 이슈로 떠오른 인간의 소멸들도 마찬가지이다. 그러한 소멸을 기억하는 것은 꽤 충돌이 잦은 문제로 다뤄진다.

　사고로 인해 수많은 생이 한 순간에 소멸된 일을 떠올려보자. 각자 머릿속에 떠오르는 그런 과거 뉴스들 말이다. 사라진 생들과 생전 관계가 깊었던 이들이라면 그 일을 기억하고자 할 것이다. 유가족들이 정부에 사건 전말의 조사, 추모공간, 더욱 책임 있는 사회를 요구하는 이유이다.

　지난 8월 22일, 2022년 10월 29일 발생한 이태원 참사로부터 300일을 앞둔 시점에 유가족들은 국회를 향해 삼보일배를 시작했다고 한다. 가족, 친구, 친척이었을 각자의 고인을 생각하며 국회까지 한 걸음 한 걸음 내딛고서 절을 한다. 절 한 번에 고인의 탄생을, 절 한 번에 고인의 학창시절을, 그리고 절 한 번에 고인의 소멸을 기억하는 행위이다.

　유족들이 기억을 노력하는 것이 무색하게, 사회는 여느 사고들과 같이 기억에 쏟던 힘이 약해지고 있다. 글을 쓰는 현재는

300일이 더 넘은 시점이지만, 여전히 검찰 수사도 진행 중이고 진상규명 특별법도 두 달 가까이 속도를 내지 못하는 중이다.

현저히 더뎌지는 속도는 '기억파'에 대비되는 '지우개파'가 있기 때문이다. 기억파는 '그래, 그때 이런 일이 있었지. 더 나은 다음을 위해 우린 이 중대한 일을 기억해야 해.'라고 한다면, 지우개파는 '아니, 저런 끔찍한 일을 왜 자꾸 내 눈앞에서 기억하자고 하는 거지? 자꾸 되살아나게. 이젠 지우고 싶어.'라고 생각하는 사람들이다. 어느 한 쪽이 맞고 틀리는 정답은 없다. 그렇기에 충돌이 끊임없이 일어나는 것이다. 심지어 한 사람이 모든 사건에 대해 기억파이거나 지우개파인 경우도 거의 없다. 이 사건은 기억파였지만, 저 사건에서는 지우개파가 될 수도 있는 것이다.

바람직한 사회는 어떤 모습인가? 공책에 글씨를 쓰고 깨끗하게 지우면 흔적조차 보이지 않게 된다. 그리고 언제든지 새로운 글씨를 쓸 수 있다. 사회적 참사가 일어났을 때, 그 사건을 사회에서 지우게 된다면 그 자리는 다시 텅 비게 된다. 언제든지 사회적인 참사가 재발할 수도 있는 것이다.

따라서, 바람직한 사회는 아픈 사고를 지우기보다는 기억하고, 매일 매 순간 사건을 기억하기보다는 가끔 그 일을 떠올리고 함께 아파할 수 있는 사회일 것이다. 면역이 생기고 아물기 위해서는 지난 경험을 가지고 있어야 하는 법이다.

공간은 기억을 유발함에 대하여

　2023년 7월 첫 주에, 팀원들이 다같이 대구 중앙로역에 위치한 '통곡의 벽'에 다녀왔었다. 작가가 태어나기도 전인 2003년 2월 발생한 대구 지하철 참사를 기리는 공간이다. 지하철 역사 내 한구석을 작은 추모공간으로 만들어 두었고, 시민들은 오고 가며 짧게 들어갔다 나올 수 있다.

　우리 프로젝트 팀은 시민들을 대상으로 '통곡의 벽 추모공간'에 대해 인터뷰를 진행했다. 그러다 할아버지 한 분과 인터뷰를 하게 되었다. 할아버지는 여타 시민들과는 달리 공간에 몰입한 채로 이 공간이 정말 좋다고 말씀하시며 눈물을 흘리셨다. 여동생을 본 지하철 참사로 인해 잃으셨던 것이다.

　"내는 여가 참 좋다. 사람들이 우리 ㅇㅇ이를 이래 기억해주는 곳이 있으니 얼마나 좋노. 내도 맨날 온다. (나는 여기가 참 좋다. 사람들이 우리 ㅇㅇ이를 이렇게 기억해주는 곳이 있으니 얼마나 좋으니. 나도 여기에 매일 온다.) "

나의 사람, 나의 추억이 깃든 공간은 존재를 보는 것 자체로도 기억을 유발한다. 불가피하다.

　몇 십 명의 시민 인터뷰 후 한동안 멈춰있었다. 사람들은 추모공간이 일상 속에 녹아있음을 긍정적으로 바라보는데, 왜 추모공간을 어둡게 바라볼까? 추모의 효과를 높이면서 일상성도 높은 공간이 존재할 수 있을까? 추모의 효과와 일상성이 양립 가능한 것인가? 추모공간 건립을 반대하는 주민들의 현수막을 보고서, '추모공간이 왜 혐오 시설이지?'라고 물음표를 던지고 돌아온 답변은 '어차피 무덤이잖아.' 더 이상 기억하고 싶지 않은 사람들과 영원히 기억하고 싶은 사람들의 중재점은 추모공간을 장례식장, 무덤의 이미지에서 벗어나게 해 주어야 할 것이었다.

　"굳이 항상 슬픈 일을 되새기지 않고서 그 공간을 누릴 수 있어도 괜찮지 않을까?"

　이 말은 추모공간이 사건을 가볍게 내포해도 된다는 의미가 아니다. 방문자 모두가 그 공간의 특징 하나하나의 의미를 알 필요는 없다는 것이다. 공간에서 고통이 비롯되면 접근이 어려워지므로 일상성이 낮아지지만, 일상성을 강조하는 방향으로 즉, 누군가라도 이 공간의 어떠한 특징, 의미를 알 수 있다면 그 공간은 적절한 무게로서 존재할 수 있다는 의미이다.

사실, 상실을 겪은 사람은 그 상실을 품고 살아가는 게 바람직하다고 착각한다. 상실을 잊기라도 면 죄책감에 시달린다. 때로는 그런 마음의 무게를 겪고 싶어 하지 않는다. 상실을 경험한 타인의 이러한 마음을 들여다보아 앞으로의 추모공간은 슬픔이나 고통을 공간 하나하나에 노골적으로 드러내는 것보다 조금은 참신한 방식의 추모 ('이런 게 추모?'가 아니라 '이런 길도 추모가 될 수 있구나.' 하는 방식)를 새겨 넣은 특별한 공간이 되었으면 한다.

03

역설의 필요

내가 꿈꾸는 예쁜 표현들이 있다. 친근하다, 따뜻하다, 다정하다... 이렇게 예쁜 표현들이 세상에 실현되기까지도 따뜻하고, 다정하고, 사랑하고, 그런 마음들만 가득해야 하는 줄 알았다. 분노와 악, 그리고 갈등은 아름다운 세상에 담기엔 먼 단어로 느껴졌으니 말이다.

도심 속 추모공간을 설계하는 이 프로젝트에 임하면서도, 공간과 조형물이 사람들의 무시와 경멸을 불러일으키기 보다 따뜻한 추모의 마음을 불러일으키고 융화된 공간으로서 공존할 수 있길 바랐다. 바람과 함께, 최대한 예쁜 의미들로 공간을 포장해야 한다고 생각했다. 챌린저로 달려온 지난 6개월은 이 생각이 엄청난 역설이었음을 말해주었다. 다정한 세상, 따스한 세상은 수많은 갈등과 반대의 열정으로 빚어지는 결과물이었다.

프로젝트 후반부 즈음, 시민들에게 우리가 설계한 추모공간 아이디어에 대하여 의견을 받는 설문조사를 진행했다. 이 공간과 조형물들이 생긴다면, 전혀 관심이 안 갈 것 같은지, 한 번쯤 눈여겨보고 이용해 볼 것 같은 지를 묻고, 이 추모공간들에서 느껴질 법한 부정적 효과를 물었다. 그간의 연구와 노력이 담긴 아이들을 물가에 내놓는 기분이라, 나도 모르게 좋은 평을 기대하고서 말이다.

그런데 어라, 생각보다 사람들의 반응이 미미했다. 아니, 정

확히는 "별로"였다. 심지어 지도 교수님과의 의견과 정반대였고, 서로 좋다고 여기는 것들이 모두 달랐다. 가장 눈에 띈 부정적 의견은 '저런 것을 왜 지어야 하나요? 시간이 지나면 뭐든지 무뎌지는데.'였다.

처음엔 우리 프로젝트 주제 (활짝 열린 추모공간: 이별이 아닌 재회를 위하여, 국내 도심 내 추모공간 설계) 자체를 부정하는 의견으로 보였다. 그러나 곧바로 이러한 반대자의 존재가 프로젝트의 필요성을 보여주며 그들과의 갈등을 해결해 쟁취하는 것이 우리가 꿈꾸는 '일상에 잘 녹아든 추모공간'인 것임을 깨달을 수 있었다.

사실, 우리는 팀 회의를 해도 늘 의견이 갈린다. A는 공간 디자인에서 배경이 마음에 안 든다는데, B는 배경만 마음에 든단다. 그렇게 열심히 반대 의견들을 모아 다듬어서 교수님께 갖고 가면 처음부터 설정이 잘못된 것 같단다. 이것 참, 뭐 하나 순탄한 게 없었다. 이 프로젝트 하나 진행해도 마음이 이렇게나 부딪히는데, 사회에서 발생한 참사를 위해 추모공간을 만든다 하면 생각지도 못할 양의 마음이 충돌하는 게 당연한 것이었다.

그런 마음의 충돌이 없으면, (혹은 있지만 묵살한다면,) 꿈꾸던 따뜻함을 달성하기란 따뜻한 아이스 아메리카노를 원하는 것이나 마찬가지라는 말이지. 우리 사회에 존재하는 추모공간도

결국 유족들을 비롯한 사회단체들이 수많은 충돌을 이겨내고 일궈낸 '생의 유적', 노력의 산물인 것이다. 문화의 탄생과 발전은 반대의 열정들로부터 이뤄진다. 다양해지는 추모공간, 발전하는 추모문화도 역설적으로 그것에 의한다.

앞선 시민의 의견에 짧게나마 답변을 덧붙이자면, 사회적 참사는 시간이 지나면 무뎌지기 때문에 더더욱 잊히면 안 된다. 안타까운 피해자들을 추모하는 것도 추모공간의 목적이지만, 똑같은 참사가 되풀이됨을 예방하기 위함이 추모공간의 궁극적인 목적이다.

결국, 추모공간은 죽은 자들이 아니라 산 자들을 위한 공간이라는 이야기이다.

04

그리움을 이겨냄과 동시에, 졌다.

오늘은 1편에서 이야기 했던 이별을 맞이한 사람들, 남겨진 이들의 이야기를 해보려 한다. 바로 엊그제 이태원 참사 1주기를 맞았다. 그럼에도 아직까지 유족들에게는 어제 일처럼 선하다. 그들에게 남은 것은 그저 밥을 먹을 때도, 잠을 청하려 이불을 끌어안을 때도, 가을 단풍이 진 길을 걸을 때도. 시도때도 없이 찾아오는 그리움뿐이다.

BBC 코리아에서는 이태원 참사 1주기를 맞아 국내외 유가족들의 이야기를 전했다. 외국인 희생자였던 프랑스인 리마무 게네고의 아버지는, 아들이 한국에 간다고 신나서 여행 가방을 싸던 모습부터 어떤 선물을 사 올지 물어보던 모습까지 생생하게 기억난다고 했다. 특히, 매년 10월 30일도 아닌 매월 29일, 30일이 되면 아들을 떠올리며 괴로워한다고 한다. 우리가 생각하는 그 이상으로 자주 그리움에 사무치는 것이다. 그게 어느 나라, 어느 문화권의 사람이든지 말이다.

이별에 의한 그리움은 이겨낼 수 있나? 아니, 그리움을 이겨낸다는 게 무슨 의미인지부터 생각해보아야 할 것이다. 새로운 사람으로 빈 자리를 대체하여 살아갈 수 있다는 거? 아님 다 정리하고 나만 생각하며 살아가겠다는 다짐? 그것도 아니면, 그리움을 이겨낸다는 것은 결국 그리움에게 졌다는 이야기가 아닐까 싶다. 보통 무언가에서 진 사람은 자신이 원하는 바를 양보해야 한다. 그리움에게 졌다면, 자신이 그리는 사람과 함께

하고자 하는 마음을 도닥이고 양보하여 살아가야 한다. 그러니 그리움에게 진 사람이 곧 그리움을 이겨낸 사람일 것이다.

다시 만나는 길에는

사실 중요한 것은 그리워하는 사람들과 그리워하지 않는 사람들의 시선이 마주치는 지점이다. 참사 현장은 그 이전에 여느 생활 공간과 다를 바 없는 곳이었고, 그 이후에도 그렇게 될 수밖에 없는 공간이다. 사고가 일어났다고 그곳에 살던 사람들을 모두 내쫓을 수도 없는 실상 아닌가. 그리워하는 사람들은 그곳에만 가면 고통스럽겠지만, 안타깝게도, 그 반대자들은 여전히 그 공간이 좋은 공간이다. 그럼에도 약간의 갑갑한 죄책감에 묶여 좋다고 말하지도 못하면서 즐겁게 발을 들이면 따가운 눈초리를 받는다.

지난 글에서 추모공간은 결국 죽은 자들을 기리면서도 산 자들을 위한 공간이라 했던가. 논문 <추모공간의 시공간특성에 관한 연구(강동연 외 3인)>의 말을 빌리면, 추모공간은 '죽은 자를 매개체로 하는 산 자들 간의 관계를 형성하는 공간'이라고도 한다. 다시 만난 세계를 꿈꾸는 공간이라고나 할까. 어느 참사든 우리는 절대적으로 분리된 사건이 아니다. 추모공간의 존재 또한 그렇게 여겨지는 것이니까 말이다.

프로젝트 기간 중 추모공간을 운영 중인 한 단체와 인터뷰 때 나눴던 이야기가 있다.

'저희가 관리하는 추모공간은 사실, 존재함으로써 영향을 주는 게 아니라 사람들의 영향을 받음으로써 존재하는 공간입니다. 혼자 있을 땐 미완의 상태인 것이, 마음을 하나하나 받으면서 그렇게 추모공간이 완성되는 것이죠.'

유가족들의 마음으로 추모하지 않아도, 추모를 위해 작곡한 노래, 춤, 챌린지 등으로 함께 기억에 동조하면서 각자의 크기를 나누는 것으로 충분하다. 다시 만나는 길에는 유가족들과 피해자들, 그리고 직접적인 연고가 없는 사람들 모두가 연결될 수 있으면 되기에. 그들에 동조하는 추모의 발길은 유가족들이 심적으로 재회할 수 있게 하는 오작교의 역할이 될 것이다. 그 오작교는 칠석날에만 뜨는 게 아니길 바란다.

05

작가의 말

없는 길을 헤쳐 나가기란 여간 어려운 것이 아니다:

<사막에서 마음 찾기>는 세상에 알고서 지나치는 슬픔을 다뤘다.

작가는 언젠가 성숙해졌을 때 즈음에, 칼럼을 쓰며 사는 사람이 되어야지 목표하며 살았다. 그게 대학교 2학년에 우연히 참여한 교내 장기 연구 프로젝트에서 이렇게나 어리숙한 형태로 드러나게 될 줄이야. 이 글의 작가는 그런 사람이다. 작문 관련을 전공하지도 않고 취미로 단순히 몇 자 써내려 가던 사람.

이별이 아닌 재회를 위한 추모공간을 만들어보기 위한 프로젝트를 진행하면서, 하나를 내보이면 열 개의 동의와 구십 개의 의문이 돌아왔다. 그러한 의문은 개인적 이별을 사회적 재회로 끌어내는 추모의 성격 때문일 것이다. 어떤 사건을 추모해야 하는지, 얼만큼의 기간을 추모해야 하는지, 애초에 던진 '끊임없이 생각해야 하는 그 자체가 옳은 추모인지' 하는 의문들은 정답이 없다. 그러나 그 의문에 대한 나의 응답을 하나씩 적어보았다.

작가의 자격을 검증하면 끝없이 부족함만 드러나지만서도, 마음 속에 품었던 생각을 한껏 꺼내 다듬었다. 작품을 만들어야한다는 부담감보다 사유하기를 좋아하는 이들에게 새로운 주제를 던져보고자 하는 마음이 담겨있다.

　짧은 글, 짧은 책이다. 밥 한 숟가락 떠서 꼭꼭 씹어먹는 듯이 천천히 소화할 수 있는 책을 내고 싶었다는, 어쩌면 작가 혼자만의 이기심이다. 그럼에도 독자들 또한 작가와 대화하며 식사하듯, 천천히 사고하길 바란다. 작가는 언제나 정답이 아닌 응답을 기다리겠다.

　생애 처음으로 작가라는 이름을 가지고, 필자의 생각을 용감하게 써내려간 <사막에서 마음 찾기>는 이렇게 첫 막을 내린다. 우리는 사막의 모래알이자 마음이다. 그러니 모래알들아, 마음을 찾아 살아가자. 당신 옆 모래알의 마음을 말라가게 내버려두지 않길.

20230502-20231116

성균관대학교 '성균 글로벌 창조적 챌린저 10기'

팀 다시만난세계

작가 전누리

어딘가에 말라있을 새 마음 찾아 다시 떠나다.